4 주완성 왕초보 히브리어 성경읽기

허동보 저

3rd Week

수현북스

왕초보 원어성경읽기 홈페이지에서 저자 정보와 강의 정보를 참고하세요.

https://wcb.modoo.at

4주완성 왕초보 히브리어 성경읽기 – 3주차 단어읽기

발　행 | 2024년 7월 25일
저　자 | 허동보
기　획 | 수현교회 출판부
편집 · 디자인 | 허동보

발 행 인 | 허동보
발 행 처 | 수현북스
등록번호 | 2024.06.28 (제2024-000094호)
주　소 | 경기도 용인시 기흥구 공세로 150-29, B01-G444호

ISBN | 979-11-988320-4-7
가 격 | 9,500원

* 본 도서는 허동보 목사의 '왕초보 히브리어 성경읽기' 강좌 교재로
  이 책에 삽입된 성경구절은 개역한글과 Westminster Leningrad Codex를 사용하였습니다.
* 이 책에는 상업용 무료글꼴만이 사용되었으며, 사용된 글꼴은 다음과 같습니다.
- 한국어/영어: KoPup바탕체, KoPup돋움체, 세방고딕체
- 히브리어: Frank Ruhl Libre, Bellefair, Noto Sans Hebrew

목 차

제 1 장 단어읽기 선수학습

1. 히브리어 글자구조

『4주완성 왕초보 히브리어 성경읽기』 제1권과 2권을 잘 마무리하셨나요? 벌써 3권, 3주차에 접어들었습니다. 지난주까지 히브리어 알파벳과 모음을 잘 공부하고 과제를 잘 수행하셨다면, 이제부터는 오히려 더 쉽게 느껴지실 겁니다. 왜냐하면, 지금까지 배우고 익힌 내용들을 이제부터는 조합만 하면 되기 때문입니다. 그 조합 역시 크게 어려울 것이 없습니다. 히브리어 글자의 구조는 우리말과 공통점이 많습니다.

우선 글자의 기본 구조는 자음과 모음의 조합으로 이루어집니다. 히브리어는 영어와 달리 알파벳에 모음이 없습니다. 한글이 자음과 모음이 따로 구분되어 있는 것처럼 히브리어 역시 마찬가지입니다. 구분된 자음과 모음이 페리코레시스적 사랑의 연합을 이룰 때 하나의 완전한 글자가 됩니다. 그러나 우리말과 비슷한 구조로 되어 있긴 하지만, 받침이 있는 구조는 아닙니다.

사실 2주차 과정에서 외운 모음 기호들을 실제로 잘 사용하지는 않습니다. 히브리어가 모국어인 사람들은 굳이 모음 기호들을 사용할 필요가 없이 자음만으로도 충분히 발음이나 그 뜻을 알고 있기 때문입니다. 이러한 모음 기호를 이스라엘에서는 נִקּוּד니쿠드라고 합니다. 이러한 모음기호를 모르면, 히브리어를 사용하지 않는 우리 같은 사람들은 아예 읽기조차 불가능하게 됩니다. 그래서 한 주간 여러분은 열심히 모음을 쓰고 읽으며 훈련해 왔습니다.

2주차 교재에서 열심히 쓰고 읽었던 모음을 전부 잘 익히셨다면, 이제 별 무리없이 단어나 문장을 읽으실 수 있습니다. 그러나 어떤 언어가 됐든 예외라는 것이 존재합니다. 가령 우리가 '아빠'라고 쓰지만, 읽을 때는 '압빠'로 읽습니다. 혹은 '국밥'이라고 쓰지만, '국빱'이라고 읽기도 합니다. 우리 말에서는 경음화 현상이라고 합니다. 이렇듯 히브리어에서도 발음에 있어서 우리가 숙지해야 할 몇 가지 예외사항들이 있습니다. 이런 부분만 잘 구분하시면, 히브리어 성경읽기는 전혀 어렵지 않습니다.

2. 히브리어 단어의 특징

히브리어 단어들은 일정한 패턴이 있습니다. 주로 어미[語尾]를 통해 운율을 느낄 수 있습니다. 가령 '1인칭 단수 소유격'은 어미에 'ִי'가 붙습니다. 이게 무슨 말인가 하면, '아버지'는 히브리어로 'אָב'[아브]입니다. 만약 '나의 아버지'라는 말을 하고 싶다면, 어미에 'ִי'를 붙여 'אָבִי'라고 하면 '나의 아버지'가 됩니다. 성경에 등장하는 אֲבִימֶלֶךְ[아비멜렉]이라는 이름은 אָבִי[나의 아버지]와 מֶלֶךְ[왕]이라는 단어가 합쳐져서 '내 아버지는 왕이다'라는 뜻을 가진 이름입니다.

이러한 패턴은 성[性]과 수[數]와 격[格]에 따라 달라집니다. 히브리어 단어에 나타나는 성[性]은 성별을 뜻합니다. 성별은 남성, 여성, 그리고 중성으로 구분됩니다. 사람이나 생물들을 포함하여 모든 물건이나 물질들도 성질이나 의미 혹은 당시 유대인들의 인식에 따라 남성, 여성, 중성으로 구분되어 있습니다. 수[數]는 개수를 의미합니다. 단수인지 복수인지에 따라 단어의 형태가 조금 달라집니다. 마지막으로 격[格]은 어떤 용도로 사용되는지에 따른 형태의 변화입니다. 히브리어 단어의 격은 주격, 호격, 소유격, 여격 등이 있습니다. 이 내용은 문법 강의에서 다루도록 하겠습니다. 지금은 기초 읽기 강의이므로 여러분은 안심하고 그냥 '이런게 있다.' 정도만 생각하고 지나가시면 됩니다.

א. ה, ו, י 는 '모음문자' 혹은 '약자음'이라고도 합니다. 이 자음들은 원래 모음이 없던 시대에 모음 대용으로 사용하기도 했었습니다. 이 글자들이 단어의 마지막에 단독으로 오면, 거의 발음을 하지 않습니다. 가령 '만들다' 혹은 '하다'라는 의미의 עָשָׂה라는 동사의 발음은 '아사흐'가 아니라 '아사'입니다. 마지막의 ה가 발음이 되지 않습니다. 창세기 1:1에 나오는 בָּרָא라는 단어는 모음이 없는 א의 경우 음가가 없기에 그냥 '바라'라고 읽으면 됩니다. 물론 이 규칙에도 예외는 있습니다. 그 예외들은 히브리어 성경을 읽어나가면서 따로 체크하도록 하겠습니다.

3. 경강점과 이중점

앞서 히브리어 글자구조에서 언급했듯이 히브리어에는 받침이 없습니다. 하지만, דָּגֵשׁ[dagesh, 다게쉬]라는 점[點]을 사용해서 우리말 '받침'과 비슷한 효과를 내기도 합니다. 창세기 1:1을 잠시 보면, "בְּרֵאשִׁית בָּרָא אֱלֹהִים"이라는 문장이 나옵니다. 이 문장에서 첫 단어의 첫 글자와 두번째 단어의 첫 글자는 모두 히브리어 알파벳 ב[베트]인데, 가운데에 점이 하나 찍혀 있습니다. 이런 점들을 '다게쉬'라고 합니다. 이 '다게쉬'는 '송곳이나 뾰족한 것 따위로 찌른다'는 뜻입니다. 히브리어 문법에서 '다게쉬'는 '발음을 바꾸기 위해 자음에 점을 찍는 것'을 뜻합니다. 발음을 바꾸기 위해 점을 찍는 것이라고 하지만, 실상 발음이 완전히 달라지는 것은 아닙니다.

자음의 가운데에 찍힌 점을 뜻하는 '다게쉬'에는 두 가지가 있습니다. 하나는 경강점輕强點이라 하는 דָּגֵשׁ קַל dagesh lene이고, 다른 하나는 이중점二重點, 혹은 중복점重複點이라고도 부르는 דָּגֵשׁ חָזָק dagesh forte입니다. 보통 히브리어 강의에서 '다게쉬 레네' 혹은 '다게쉬 포르테'라고 부르는 것은 히브리어와 라틴어가 혼합되어 부르는 이름입니다. 히브리어로는 דָּגֵשׁ קַל 다게쉬 칼과 דָּגֵשׁ חָזָק 다게쉬 하자크입니다. 이 두 개의 '다게쉬'에 대해 잠시 설명하고 지나가도록 하겠습니다.

우선 '경강점'dagesh lene은 한자 이름 그대로 '가볍게 강조'하여 읽으면 됩니다. '강조'라는 단어가 들어가기 때문에 오해가 생기기 쉽지만, 단지 '조금만 신경써서' 발음한다고 생각하시면 됩니다. 모든 알파벳에 경강점이 적용되는 것은 아닙니다. 경강점이 적용되는 글자는 ב, ג, ד, כ, פ, ת 로 딱 여섯 글자밖에 없습니다. 이 글자들에 경강점이 찍히면 בּ, גּ, דּ, כּ, פּ, תּ 와 같은 모양이 됩니다. 이 여섯 글자가 단어의 첫글자로 오는 경우에는 경강점이 적용되는데, 이걸 외우기 쉽게 하기 위해 'בְּגַד כְּפַת'베가드케파트로 모음을 붙여 읽기도 합니다. '베가드케파트'가 단어의 첫 글자로 오면 자음의 발음을 조금 신경써서 읽으면 됩니다.

둘째로 '이중점'dagesh forte은 우리말의 '된소리현상'경음화과 비슷합니다. '아빠'를 '압빠'라고 읽는 경우와 비슷합니다. 풀어서 이야기하자면, '자음이 하나 더 복사되어 앞에 달라붙는다'고 설명할 수 있습니다. הַמָּיִם이라는 단어는 다게쉬가 붙어 있지만, 경강점이 아니라 이중점입니다. הַמָּיִם은 '하마임'이라 읽지 않고, '함마임'이라 읽습니다. 즉, 다게쉬가 붙은 מ이 하나 더 복사되어 앞에 달라붙는 결과가 됩니다. 이 '이중점'은 모든 알파벳에 붙을 수 있습니다. בְּהִבָּרְאָם은 '베히바레암'이 아니라, '베힙바레암'으로 읽습니다. 단어 제일 앞의 글자 בְּ는 경강점이고, 가운데에 있는 בָּ는 이중점입니다.

정리하자면, '다게쉬'에는 '경강점'과 '이중점'이 있습니다. 경강점은 단어의 제일 첫 글자, 이중점은 두번째 글자부터 점이 찍혀 있는 경우가 대부분입니다. 경강점은 발음에 큰 영향이 없고, 이중점은 점이 붙은 자음 하나가 해당 글자

바로 앞에 복사되어 착 달라붙습니다.

이 내용은 지금 당장 이해하기 어려울 수 있습니다. 그렇다고 해서 이러한 문법적 설명에 함몰되어 히브리어 성경 읽기를 포기한다면, 그것만큼 손해는 없을 겁니다. 이 역시 히브리어 성경을 읽다보면 자연스럽게 이해되는 부분이니 지금 머리 아프게 이해하려 하지 마시고, '아, 이런게 있구나.'라는 정도로만 생각하고 지나가시길 바랍니다. 단어를 읽고, 문장을 읽어가며 하나하나 습득하는 것이 중요합니다. 어느 정도 읽기가 익숙해진 상태로 이 부분을 다시 읽게 되면 머릿속에서 쉽게 정리가 될 것입니다.

4. 스트롱코드 Strong's Concordance

스트롱코드란 19 세기 말 미국 감리교 목사이자 교수이며 신학자인 제임스 스트롱 James Strong, 1822-1894 이 100 여 명의 학자들과 함께 성경 연구의 편의를 위해서 구약 히브리어 단어 8674 개, 신약 헬라어 단어 5523 개의 어근에 번호를 붙여 1890 년 처음 출판한 '색인사전' 입니다.

히브리어를 모르는 사람들도 해당 단어의 스트롱코드 번호만 알면 히브리어 단어의 뜻을 어렵지 않게 찾아볼 수 있습니다. 물론 히브리어는 기본형에서 모양이 많이 변하는 단어들이 있다 보니 한계는 있지만, 요즘은 '알파알렙' 사이트를 비롯한 많은 사이트들과 프로그램들을 통해 기본형과 발음까지도 쉽게 찾아볼 수 있습니다. 다음 장에서 단어들을 익힐 때, 'H0001', 'H0002' 이런 식으로 붙어 있는 번호가 바로 스트롱코드 넘버, 스트롱코드 번호입니다.

히브리어 알파벳 표

형 태	이 름	꼬리형	형 태	이 름	꼬리형
א	알렙		מ	멤	ם
ב	베트		נ	눈	ן
ג	기믈		ס	싸멕	
ד	달렛		ע	아인	
ה	헤		פ	페	ף
ו	바브		צ	차디	ץ
ז	자인		ק	코프	
ח	헤트		ר	레쉬	
ט	테트		שׂ	신	
י	요드		שׁ	쉰	
כ	카프	ך	ת	타브	
ל	라메드				

히브리어 알파벳송

히브리어 모음표

		A 아	E 에	I 이	O 오	U 우
장모음		אָ	אֵ		אֹ	
		카메츠	체레		홀렘	
			אֵי	אִי	אוֹ	אוּ
			체레요드	히렉요드	홀렘바브	슈렉
반모음		אֲ	אֱ		אֳ	
		하텝파타	하텝세골		하텝카메츠	
단모음		אַ	אֶ	אִ	אָ	אֻ
		파타	세골	히렉	카메츠하툽	케부츠
			אְ			
			쉐바			
י 가 자음으로 쓰일 때 (이중모음)		יָ יַ	יֵ יֶ יְ	יִ	יֹ יוֹ	יוּ יֻ
		야	예	이	요	유

제 2 장 히브리어 단어 따라 읽고 쓰기

단어를 쓸 때도 입과 눈과 귀가 사랑의 연합을 이루어야 합니다. 단어의 발음을 꼭 입으로 따라하면서 써야 합니다. 단어를 읽을 때는 오른쪽에서 왼쪽으로 읽으면서 씁니다.

주의사항

1. 단어에 대한 부가설명을 굳이 외우려고 하지 마세요. 지금은 단어를 읽는 것에 목적이 있습니다. 쓰면서 읽고, 읽으면서 쓰는 즐거움만 누리시길 바랍니다. 단어에 대한 설명은 그냥 '참고 사항' 정도로만 여기고 넘어가세요. 가장 중요한 것은 **한 글자씩 입으로 크게 따라 읽으면서 쓰기** 입니다!
2. 히브리어 발음은 우리말과 많이 다릅니다. 발음표기를 할 때 한글과 함께 영어권 표기가 함께 적혀 있으니 참고하시기 바랍니다.

수현북스

H0001 [아-브] [a-b]
남성형 명사
뜻: 아비지, 조상

אָב	אָב	אָב	אָב
브 아	브 아	브 아	브 아
אָב	אָב	אָב	אָב
אָב	אָב	אָב	אָב
אָב	אָב	אָב	אָב
אָב	אָב	אָב	אָב

H0006 [아-바드] [abad]
동사
뜻: 길을 잃다. 파괴하다. 방황하다.

אָבַד	אָבַד	אָבַד	אָבַד
드 바 아	드 바 아	드 바 아	드 바 아
אָבַד	אָבַד	אָבַד	אָבַד
אָבַד	אָבַד	אָבַד	אָבַד
אָבַד	אָבַד	אָבַד	אָבַד
אָבַד	אָבַד	אָבַד	אָבַד

אֹבֵד

H0008 [오베드] [obed]
남성형 명사
뜻: 비참한 사람, 파괴, 파멸

←

אֹבֵד	אֹבֵד	אֹבֵד	אֹבֵד
드 베 오	드 베 오	드 베 오	드 베 오
אֹבֵד	אֹבֵד	אֹבֵד	אֹבֵד
אֹבֵד	אֹבֵד	אֹבֵד	אֹבֵד
אֹבֵד	אֹבֵד	אֹבֵד	אֹבֵד
אֹבֵד	אֹבֵד	אֹבֵד	אֹבֵד

אֲבַדּוֹן

H0011 [아밧돈] [abad-don]
남성형 명사
뜻: 멸망, 파멸, 음부
דּ에 찍힌 점은 '이중점'입니다.

←

אֲבַדּוֹן	אֲבַדּוֹן	אֲבַדּוֹן	אֲבַדּוֹן
돈 받 아	돈 받 아	돈 받 아	돈 받 아
אֲבַדּוֹן	אֲבַדּוֹן	אֲבַדּוֹן	אֲבַדּוֹן
אֲבַדּוֹן	אֲבַדּוֹן	אֲבַדּוֹן	אֲבַדּוֹן
אֲבַדּוֹן	אֲבַדּוֹן	אֲבַדּוֹן	אֲבַדּוֹן
אֲבַדּוֹן	אֲבַדּוֹן	אֲבַדּוֹן	אֲבַדּוֹן

אִישׁ

H0376 [이-쉬] [iysh]
남성형 명사
뜻: 사람, 남자,

←

אִישׁ	אִישׁ	אִישׁ	אִישׁ
쉬 이	쉬 이	쉬 이	쉬 이
אִישׁ	אִישׁ	אִישׁ	אִישׁ
אִישׁ	אִישׁ	אִישׁ	אִישׁ
אִישׁ	אִישׁ	אִישׁ	אִישׁ
אִישׁ	אִישׁ	אִישׁ	אִישׁ

H0834 [아셰르] [asher]
관계대명사
뜻: 그는, 그녀는, 그것은

←

אֲשֶׁר	אֲשֶׁר	אֲשֶׁר	אֲשֶׁר
르 셰 아	르 셰 아	르 셰 아	르 셰 아
אֲשֶׁר	אֲשֶׁר	אֲשֶׁר	אֲשֶׁר
אֲשֶׁר	אֲשֶׁר	אֲשֶׁר	אֲשֶׁר
אֲשֶׁר	אֲשֶׁר	אֲשֶׁר	אֲשֶׁר
אֲשֶׁר	אֲשֶׁר	אֲשֶׁר	אֲשֶׁר

H3808 [로-] [lo]
부정형
뜻: No, not, 아니, 안

←

לֹא	לֹא	לֹא	לֹא
- 로	- 로	- 로	- 로
לֹא	לֹא	לֹא	לֹא
לֹא	לֹא	לֹא	לֹא
לֹא	לֹא	לֹא	לֹא
לֹא	לֹא	לֹא	לֹא

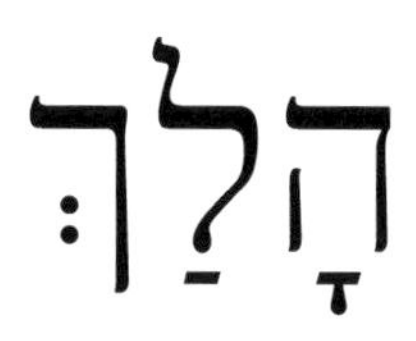

H1980 [할라크] [halak]
동사
뜻: 걷다, 가다, 걸어가다,
ל는 '을'발음이라 인식하세요.
ך[카프 꼬리형]에 붙은 :[쉐바]는 묶음

הָלַךְ	הָלַךְ	הָלַךְ	הָלַךְ
크 (을)라 하	크 (을)라 하	크 (을)라 하	크 (을)라 하
הָלַךְ	הָלַךְ	הָלַךְ	הָלַךְ
הָלַךְ	הָלַךְ	הָלַךְ	הָלַךְ
הָלַךְ	הָלַךְ	הָלַךְ	הָלַךְ
הָלַךְ	הָלַךְ	הָלַךְ	הָלַךְ

아래 단어들을 한 번 읽어 보세요. 해석은 중요하지 않습니다.

익숙해질 때까지 읽는 연습을 해보세요.

아래 단어를 읽을 때도 꼭! 오른쪽에서 왼쪽으로 읽으세요.

←

אֲבַדּוֹן	אֹבֵד	אָבַד	אָב
הָלַךְ	לֹא	אֲשֶׁר	אִישׁ

위 QR코드를 스마트폰으로 촬영하시면
히브리어 알파벳송 영상을 보실 수 있습니다.

첫째날 과제를 잘 마무리했다면, 날짜를 적어 보세요.

과제완료일 : 20　　년　　월　　일

수현북스

עֵצָה

H6098 [에-차] [etsah]
여성형 명사
뜻: 충고, 교훈, 지혜
ה는 발음하지 않습니다.

עֵצָה	עֵצָה	עֵצָה	עֵצָה
차 에	차 에	차 에	차 에
עֵצָה	עֵצָה	עֵצָה	עֵצָה
עֵצָה	עֵצָה	עֵצָה	עֵצָה
עֵצָה	עֵצָה	עֵצָה	עֵצָה
עֵצָה	עֵצָה	עֵצָה	עֵצָה

H7563 [롸-샤] [rasha]
형용사
뜻: 부도덕한, 사악한
ע은 발음하지 않습니다.

רָשָׁע	רָשָׁע	רָשָׁע	רָשָׁע
- 샤 롸	- 샤 롸	- 샤 롸	- 샤 롸
רָשָׁע	רָשָׁע	רָשָׁע	רָשָׁע
רָשָׁע	רָשָׁע	רָשָׁע	רָשָׁע
רָשָׁע	רָשָׁע	רָשָׁע	רָשָׁע
רָשָׁע	רָשָׁע	רָשָׁע	רָשָׁע

H1870 [데뤠크] [derek]
명사
뜻: 길, 방향,
דּ의 점은 '경강점' 입니다.

←

דֶּרֶךְ	דֶּרֶךְ	דֶּרֶךְ	דֶּרֶךְ
크 뤠 데	크 뤠 데	크 뤠 데	크 뤠 데
דֶּרֶךְ	דֶּרֶךְ	דֶּרֶךְ	דֶּרֶךְ
דֶּרֶךְ	דֶּרֶךְ	דֶּרֶךְ	דֶּרֶךְ
דֶּרֶךְ	דֶּרֶךְ	דֶּרֶךְ	דֶּרֶךְ
דֶּרֶךְ	דֶּרֶךְ	דֶּרֶךְ	דֶּרֶךְ

H2400 [할타-] [chatta]
남성형 명사
뜻: 죄인, 비난을 받는 사람,
טּ의 점은 '이중점' 입니다.

←

חַטָּא	חַטָּא	חַטָּא	חַטָּא
- 타(읕) 하	- 타(읕) 하	- 타(읕) 하	- 타(읕) 하
חַטָּא	חַטָּא	חַטָּא	חַטָּא
חַטָּא	חַטָּא	חַטָּא	חַטָּא
חַטָּא	חַטָּא	חַטָּא	חַטָּא
חַטָּא	חַטָּא	חַטָּא	חַטָּא

עָמַד

H5975 [아마드] [amad]
동사
뜻: 서다, 서 있다.

עָמַד	עָמַד	עָמַד	עָמַד
드 마 아	드 마 아	드 마 아	드 마 아
עָמַד	עָמַד	עָמַד	עָמַד
עָמַד	עָמַד	עָמַד	עָמַד
עָמַד	עָמַד	עָמַד	עָמַד
עָמַד	עָמַד	עָמַד	עָמַד

מוֹשָׁב

H4186 [모샤-브] [moshab]
남성형 명사
뜻: 자리. 위치, 거처, 주거

←

מוֹשָׁב	מוֹשָׁב	מוֹשָׁב	מוֹשָׁב
브 샤 모	브 샤 모	브 샤 모	브 샤 모
מוֹשָׁב	מוֹשָׁב	מוֹשָׁב	מוֹשָׁב
מוֹשָׁב	מוֹשָׁב	מוֹשָׁב	מוֹשָׁב
מוֹשָׁב	מוֹשָׁב	מוֹשָׁב	מוֹשָׁב
מוֹשָׁב	מוֹשָׁב	מוֹשָׁב	מוֹשָׁב

לוּץ

H3887 [루-츠] [loots]
동사
뜻: 조롱하다. 비웃다, 희롱하다

←

לוּץ	לוּץ	לוּץ	לוּץ
츠 루	츠 루	츠 루	츠 루
לוּץ	לוּץ	לוּץ	לוּץ
לוּץ	לוּץ	לוּץ	לוּץ
לוּץ	לוּץ	לוּץ	לוּץ
לוּץ	לוּץ	לוּץ	לוּץ

H3427 [야샤브] [yashab]
동사
뜻: 앉다. 안착하다, 대변을 보다

←

יָשַׁב	יָשַׁב	יָשַׁב	יָשַׁב
브 샤 야	브 샤 야	브 샤 야	브 샤 야
יָשַׁב	יָשַׁב	יָשַׁב	יָשַׁב
יָשַׁב	יָשַׁב	יָשַׁב	יָשַׁב
יָשַׁב	יָשַׁב	יָשַׁב	יָשַׁב
יָשַׁב	יָשַׁב	יָשַׁב	יָשַׁב

아래 단어들을 한 번 읽어 보세요. 해석은 중요하지 않습니다.

익숙해질 때까지 읽는 연습을 해보세요.

아래 단어를 읽을 때도 꼭! 오른쪽에서 왼쪽으로 읽으세요.

←

חַטָּא	דֶּרֶךְ	רָשָׁע	עֵצָה
יָשַׁב	לוּץ	מוֹשָׁב	עָמַד

위 QR코드를 스마트폰으로 촬영하시면
히브리어 알파벳송 영상을 보실 수 있습니다.

둘째날 과제를 잘 마무리했다면, 날짜를 적어 보세요.

과제완료일 : 20　　년　　월　　일

4 주완성 왕초보 히브리어 성경읽기
3 주차
3rd Day
셋째날

SUHYUN
BOOKS
수현북스

H8451 [토-라] [to-ra]
여성형 명사
뜻: 율법
תּ에 찍힌 점은 '경강점'입니다.

←

תּוֹרָה	תּוֹרָה	תּוֹרָה	תּוֹרָה
- 라 토	- 라 토	- 라 토	- 라 토
תּוֹרָה	תּוֹרָה	תּוֹרָה	תּוֹרָה
תּוֹרָה	תּוֹרָה	תּוֹרָה	תּוֹרָה
תּוֹרָה	תּוֹרָה	תּוֹרָה	תּוֹרָה
תּוֹרָה	תּוֹרָה	תּוֹרָה	תּוֹרָה

H2656 [헤페츠] [chephets]
남성형 명사
뜻: 기쁨, 바람, 귀중한 것

←

חֵפֶץ	חֵפֶץ	חֵפֶץ	חֵפֶץ
츠 페 헤	츠 페 헤	츠 페 헤	츠 페 헤
חֵפֶץ	חֵפֶץ	חֵפֶץ	חֵפֶץ
חֵפֶץ	חֵפֶץ	חֵפֶץ	חֵפֶץ
חֵפֶץ	חֵפֶץ	חֵפֶץ	חֵפֶץ
חֵפֶץ	חֵפֶץ	חֵפֶץ	חֵפֶץ

H1897 [하가] [haga]
동사
뜻: 신음하다, 중얼거리다,
으르렁거리다
ה는 발음하지 않습니다.

←

הָגָה	הָגָה	הָגָה	הָגָה
가 하	가 하	가 하	가 하
הָגָה	הָגָה	הָגָה	הָגָה
הָגָה	הָגָה	הָגָה	הָגָה
הָגָה	הָגָה	הָגָה	הָגָה
הָגָה	הָגָה	הָגָה	הָגָה

H3119 [요맘] [yomam]
부사
뜻: 날마다, 낮에, 밤낮으로
'이오맘'을 빨리 읽는다고 생각하세요.

←

יוֹמָם	יוֹמָם	יוֹמָם	יוֹמָם
맘 요	맘 요	맘 요	맘 요
יוֹמָם	יוֹמָם	יוֹמָם	יוֹמָם
יוֹמָם	יוֹמָם	יוֹמָם	יוֹמָם
יוֹמָם	יוֹמָם	יוֹמָם	יוֹמָם
יוֹמָם	יוֹמָם	יוֹמָם	יוֹמָם

H3915 [라일] [la-yil]
남성형 명사
뜻: 밤, 야간, 어둠

←

לַיִל	לַיִל	לַיִל	לַיִל
일 라	일 라	일 라	일 라
לַיִל	לַיִל	לַיִל	לַיִל
לַיִל	לַיִל	לַיִל	לַיִל
לַיִל	לַיִל	לַיִל	לַיִל
לַיִל	לַיִל	לַיִל	לַיִל

H1961 [하야] [haya]
동사
뜻: 있다(be 동사), 섬기다, 속하다
마지막 ה는 발음하지 않습니다.

←

הָיָה	הָיָה	הָיָה	הָיָה
야 하	야 하	야 하	야 하
הָיָה	הָיָה	הָיָה	הָיָה
הָיָה	הָיָה	הָיָה	הָיָה
הָיָה	הָיָה	הָיָה	הָיָה
הָיָה	הָיָה	הָיָה	הָיָה

עֵץ

H6086 [에츠] [ets]
남성형 명사
뜻: 나무, 숲, 목재로 만든 우상

←

עֵץ	עֵץ	עֵץ	עֵץ
츠 에	츠 에	츠 에	츠 에
עֵץ	עֵץ	עֵץ	עֵץ
עֵץ	עֵץ	עֵץ	עֵץ
עֵץ	עֵץ	עֵץ	עֵץ
עֵץ	עֵץ	עֵץ	עֵץ

שָׁתַל

H8362 [샤탈] [shatal]
동사
뜻: 심다, 이식하다
'샤타을' 을 빨리 읽으면 '샤탈'이 됩니다

←

שָׁתַל	שָׁתַל	שָׁתַל	שָׁתַל
탈 샤	탈 샤	탈 샤	탈 샤
שָׁתַל	שָׁתַל	שָׁתַל	שָׁתַל
שָׁתַל	שָׁתַל	שָׁתַל	שָׁתַל
שָׁתַל	שָׁתַל	שָׁתַל	שָׁתַל
שָׁתַל	שָׁתַל	שָׁתַל	שָׁתַל

아래 단어들을 한 번 읽어 보세요. 해석은 중요하지 않습니다.

익숙해질 때까지 읽는 연습을 해보세요.

아래 단어를 읽을 때도 꼭! 오른쪽에서 왼쪽으로 읽으세요.

←

יוֹמָם	הָגָה	חֵפֶץ	תּוֹרָה
שָׁתַל	עֵץ	הָיָה	לַיִל

위 QR코드를 스마트폰으로 촬영하시면
히브리어 알파벳송 영상을 보실 수 있습니다.

셋째날 과제를 잘 마무리했다면, 날짜를 적어 보세요.

과제완료일 : 20 년 월 일

수현북스

H6388 [펠레그] [peleg]
남성형 명사
뜻: 시내, 강
פּ에 찍힌 점은 '경강점'입니다.
'페(을)레그'를 빨리 읽으면
'펠레그'가 됩니다.

←

פֶּלֶג	פֶּלֶג	פֶּלֶג	פֶּלֶג
그 (을)레 페	그 (을)레 페	그 (을)레 페	그 (을)레 페
פֶּלֶג	פֶּלֶג	פֶּלֶג	פֶּלֶג
פֶּלֶג	פֶּלֶג	פֶּלֶג	פֶּלֶג
פֶּלֶג	פֶּלֶג	פֶּלֶג	פֶּלֶג
פֶּלֶג	פֶּלֶג	פֶּלֶג	פֶּלֶג

מַיִם

H4325 [마임] [mayim]
남성형 명사
뜻: 물, 즙, 정액

←

מַיִם	מַיִם	מַיִם	מַיִם
임 마	임 마	임 마	임 마
מַיִם	מַיִם	מַיִם	מַיִם
מַיִם	מַיִם	מַיִם	מַיִם
מַיִם	מַיִם	מַיִם	מַיִם
מַיִם	מַיִם	מַיִם	מַיִם

פְּרִי

H6529 [페뤼] [*peri*]
남성형 명사
뜻: 열매, 자손

←

פְּרִי	פְּרִי	פְּרִי	פְּרִי
뤼 페	뤼 페	뤼 페	뤼 페
פְּרִי	פְּרִי	פְּרִי	פְּרִי
פְּרִי	פְּרִי	פְּרִי	פְּרִי
פְּרִי	פְּרִי	פְּרִי	פְּרִי
פְּרִי	פְּרִי	פְּרִי	פְּרִי

נָתַן

H5414 [나탄] [*natan*]
동사
뜻: 주다
ן눈 꼬리형은 항상 받침이 됩니다.

←

נָתַן	נָתַן	נָתַן	נָתַן
탄 나	탄 나	탄 나	탄 나
נָתַן	נָתַן	נָתַן	נָתַן
נָתַן	נָתַן	נָתַן	נָתַן
נָתַן	נָתַן	נָתַן	נָתַן
נָתַן	נָתַן	נָתַן	נָתַן

H6256 [에트] [*et*]
여성형 명사
뜻: (정해지거나 정해지지 않은) 시간

←

עֵת	עֵת	עֵת	עֵת
트 에	트 에	트 에	트 에
עֵת	עֵת	עֵת	עֵת
עֵת	עֵת	עֵת	עֵת
עֵת	עֵת	עֵת	עֵת
עֵת	עֵת	עֵת	עֵת

H5929 [알레] [*ale*]
남성형 명사
뜻: 나뭇잎
마지막 ה는 발음하지 않습니다.

←

עָלֶה	עָלֶה	עָלֶה	עָלֶה
트 에	트 에	트 에	트 에
עָלֶה	עָלֶה	עָלֶה	עָלֶה
עָלֶה	עָלֶה	עָלֶה	עָלֶה
עָלֶה	עָלֶה	עָלֶה	עָלֶה
עָלֶה	עָלֶה	עָלֶה	עָלֶה

נָבֵל

H5034 [나벨] [*nabel*]
동사
뜻: 되다, 엎드리다, 모욕하다
'나베을'을 빠르게 읽어보세요

←

נָבֵל	נָבֵל	נָבֵל	נָבֵל
벨 나	벨 나	벨 나	벨 나
נָבֵל	נָבֵל	נָבֵל	נָבֵל
נָבֵל	נָבֵל	נָבֵל	נָבֵל
נָבֵל	נָבֵל	נָבֵל	נָבֵל
נָבֵל	נָבֵל	נָבֵל	נָבֵל

H6743 [찰라흐] [*tsalach*]
동사
뜻: 전진하다, 발전하다, 추진하다
'차(을)라흐'를 빠르게 읽어보세요.

←

צָלַח	צָלַח	צָלַח	צָלַח
흐 (을)라 차	흐 (을)라 차	흐 (을)라 차	흐 (을)라 차
צָלַח	צָלַח	צָלַח	צָלַח
צָלַח	צָלַח	צָלַח	צָלַח
צָלַח	צָלַח	צָלַח	צָלַח
צָלַח	צָלַח	צָלַח	צָלַח

아래 단어들을 한 번 읽어 보세요. 해석은 중요하지 않습니다.

익숙해질 때까지 읽는 연습을 해보세요.

아래 단어를 읽을 때도 꼭! 오른쪽에서 왼쪽으로 읽으세요.

נָתַן	פְּרִי	מַיִם	פֶּלֶג
צָלַח	נָבֵל	עָלֶה	עֵת

위 QR코드를 스마트폰으로 촬영하시면
히브리어 알파벳송 영상을 보실 수 있습니다.

넷째날 과제를 잘 마무리했다면, 날짜를 적어 보세요.

과제완료일 : 20 년 월 일

4 주완성 왕초보 히브리어 성경읽기
3 주차
5th Day
다섯째날

SUHYUN
BOOKS
수현북스

נָדַף

H5086 [나다프] [*nadaf*]
동사
뜻: 흩어지다, 몰아내다, 쫓아버리다

נָדַף	נָדַף	נָדַף	נָדַף
프 다 나	프 다 나	프 다 나	프 다 나
נָדַף	נָדַף	נָדַף	נָדַף
נָדַף	נָדַף	נָדַף	נָדַף
נָדַף	נָדַף	נָדַף	נָדַף
נָדַף	נָדַף	נָדַף	נָדַף

H7307 [루아흐] [*ruach*]
여성형 명사
뜻: 숨, 호흡, 영
단어 끝에 חַ가 오면 모음을 먼저 발음합니다

←

רוּחַ	רוּחַ	רוּחַ	רוּחַ
흐아 루	흐아 루	흐아 루	흐아 루
רוּחַ	רוּחַ	רוּחַ	רוּחַ
רוּחַ	רוּחַ	רוּחַ	רוּחַ
רוּחַ	רוּחַ	רוּחַ	רוּחַ
רוּחַ	רוּחַ	רוּחַ	רוּחַ

H6965 [쿰] [*qum*]
동사
뜻: 일어나다, 나아가다
ם멤 꼬리형은 받침이 됩니다.

←

קוּם	קוּם	קוּם	קוּם
흐아 루	흐아 루	흐아 루	흐아 루
קוּם	קוּם	קוּם	קוּם
קוּם	קוּם	קוּם	קוּם
קוּם	קוּם	קוּם	קוּם
קוּם	קוּם	קוּם	קוּם

מִשְׁפָּט

H4941 [미쉽파트] [*mishppat*]
남성형 명사
뜻: 판결, 심판, 정의, 재판
פּ에 찍힌 점은 '이중점'입니다.
'미쉬(프)파트'를 빠르게 읽어보세요.

←

מִשְׁפָּט	מִשְׁפָּט	מִשְׁפָּט	מִשְׁפָּט
트 파 쉽 미	트 파 쉽 미	트 파 쉽 미	트 파 쉽 미
מִשְׁפָּט	מִשְׁפָּט	מִשְׁפָּט	מִשְׁפָּט
מִשְׁפָּט	מִשְׁפָּט	מִשְׁפָּט	מִשְׁפָּט
מִשְׁפָּט	מִשְׁפָּט	מִשְׁפָּט	מִשְׁפָּט
מִשְׁפָּט	מִשְׁפָּט	מִשְׁפָּט	מִשְׁפָּט

עֵדָה

H5712 [에다] [*eda*]
여성형 명사
뜻: 모임, 군중, 가족, 무리
단어의 끝에 오는 ה는 모음이 없을 경우 발음하지 않습니다.

←

עֵדָה	עֵדָה	עֵדָה	עֵדָה
트파 쉽미	트파 쉽미	트파 쉽미	트파 쉽미
עֵדָה	עֵדָה	עֵדָה	עֵדָה
עֵדָה	עֵדָה	עֵדָה	עֵדָה
עֵדָה	עֵדָה	עֵדָה	עֵדָה
עֵדָה	עֵדָה	עֵדָה	עֵדָה

צַדִיק

H6662 [차디크] [*tsadeeq*]
형용사
뜻: 의로운, 의로운 사람

←

צַדִיק	צַדִיק	צַדִיק	צַדִיק
크 디 차	크 디 차	크 디 차	크 디 차
צַדִיק	צַדִיק	צַדִיק	צַדִיק
צַדִיק	צַדִיק	צַדִיק	צַדִיק
צַדִיק	צַדִיק	צַדִיק	צַדִיק
צַדִיק	צַדִיק	צַדִיק	צַדִיק

יָדַע

H3045 [야다] [*yada*]
동사
뜻: 보다, 알다, 인식하다, 깨닫다
모음이 없는 ע은 음가가 없습니다.

←

יָדַע	יָדַע	יָדַע	יָדַע
다 야	다 야	다 야	다 야
יָדַע	יָדַע	יָדַע	יָדַע
יָדַע	יָדַע	יָדַע	יָדַע
יָדַע	יָדַע	יָדַע	יָדַע
יָדַע	יָדַע	יָדַע	יָדַע

H3068 [아도나이] [*adonayi*]
고유명사
뜻: 하나님의 이름
보통은 יְהוָה라고 씁니다.

←

יְהֹוָה	יְהֹוָה	יְהֹוָה	יְהֹוָה
아도나이	아도나이	아도나이	아도나이
יְהֹוָה	יְהֹוָה	יְהֹוָה	יְהֹוָה
יְהֹוָה	יְהֹוָה	יְהֹוָה	יְהֹוָה
יְהֹוָה	יְהֹוָה	יְהֹוָה	יְהֹוָה
יְהֹוָה	יְהֹוָה	יְהֹוָה	יְהֹוָה

* 이 단어는 '예호봐'로 읽어야 되지만 하나님의 이름이기에 함부로 부를 수가 없어서 '아도나이'라는 음가로 읽습니다. 보통은 יְהוָה로 씁니다.

아래 단어들을 한 번 읽어 보세요. 해석은 중요하지 않습니다.

익숙해질 때까지 읽는 연습을 해보세요.

아래 단어를 읽을 때도 꼭! 오른쪽에서 왼쪽으로 읽으세요.

←

מִשְׁפָּט	קוּם	רוּחַ	נָדַף
יְהוָֹה	יָדַע	צַדִּיק	עֵדָה

위 QR코드를 스마트폰으로 촬영하시면
히브리어 알파벳송 영상을 보실 수 있습니다.

다섯째날 과제를 잘 마무리했다면, 날짜를 적어 보세요.

과제완료일 : 20 년 월 일

수현북스

지금까지 익힌 발음들을 다시 한 번 읽어보도록 하겠습니다. 글자의 발음을 한 글자씩 적으며 따라 읽어 보세요. 지금은 읽기에 집중해야 하는 만큼 뜻은 신경 쓰지 마세요. 천천히 한 글자씩 읽으며 적어보는게 중요합니다.

←

אֲבַדּוֹן	אֹבֵד	אָבַד	אָב
אֲבַדּוֹן	אֹבֵד	אָבַד	אָב
אֲבַדּוֹן	אֹבֵד	אָבַד	אָב
הָלַךְ	לֹא	אֲשֶׁר	אִישׁ
הָלַךְ	לֹא	אֲשֶׁר	אִישׁ
הָלַךְ	לֹא	אֲשֶׁר	אִישׁ
חַטָּא	דֶּרֶךְ	רָשָׁע	עֵצָה
חַטָּא	דֶּרֶךְ	רָשָׁע	עֵצָה
חַטָּא	דֶּרֶךְ	רָשָׁע	עֵצָה

עָמַד	מוֹשָׁב	לוּץ	יָשַׁב
עָמַד	מוֹשָׁב	לוּץ	יָשַׁב
עָמַד	מוֹשָׁב	לוּץ	יָשַׁב
תּוֹרָה	חֵפֶץ	הָגָה	יוֹמָם
תּוֹרָה	חֵפֶץ	הָגָה	יוֹמָם
תּוֹרָה	חֵפֶץ	הָגָה	יוֹמָם
לַיִל	הָיָה	עֵץ	שָׁתַל
לַיִל	הָיָה	עֵץ	שָׁתַל
לַיִל	הָיָה	עֵץ	שָׁתַל
פֶּלֶג	מַיִם	פְּרִי	נָתַן
פֶּלֶג	מַיִם	פְּרִי	נָתַן
פֶּלֶג	מַיִם	פְּרִי	נָתַן

צָלַח	נָבֵל	עָלֶה	עֵת
צָלַח	נָבֵל	עָלֶה	עֵת
צָלַח	נָבֵל	עָלֶה	עֵת
מִשְׁפָּט	קוּם	רוּחַ	נָדַף
מִשְׁפָּט	קוּם	רוּחַ	נָדַף
מִשְׁפָּט	קוּם	רוּחַ	נָדַף
יְהוָֹה	יָדַע	צַדִּיק	עֵדָה
יְהוָֹה	יָדַע	צַדִּיק	עֵדָה
יְהוָֹה	יָדַע	צַדִּיק	עֵדָה

위 QR코드를 스마트폰으로 촬영하시면
히브리어 알파벳송 영상을 보실 수 있습니다.

여섯째날 과제를 잘 마무리했다면, 날짜를 적어 보세요.

과제완료일 : 20 년 월 일

וַיְכַל אֱלֹהִים בַּיּוֹם הַשְּׁבִיעִי מְלַאכְתּוֹ אֲשֶׁר עָשָׂה
וַיִּשְׁבֹּת בַּיּוֹם הַשְּׁבִיעִי מִכָּל־מְלַאכְתּוֹ אֲשֶׁר עָשָׂה׃

하나님의 지으시던 일이 일곱째 날이 이를 때에 마치니
그 지으시던 일이 다하므로 일곱째 날에 안식하시니라

창세기 2:2

4주차 교재로 이어집니다.

감사합니다.

이학재 저

כתב Project 원어성경쓰기

케타브 프로젝트 쓰기성경 시리즈

히브리어와 헬라어로 성경을 필사해 보세요.

룻기 잠언 에스더 다니엘 일곱권의 소선지서 (요나, 요엘, 학개, 말라기, 오바댜, 하박국, 스바냐)

시편 1 시편 2 시편 3 시편 4 시편 5

갈라디아서 에베소서 빌립보서 골로새서 요한서신들(요한 일,이,삼서)과 유다서